당신에게 건넨 말이 소문이 되어 돌아왔다

실천시선 252

당신에게 건넨 말이 소문이 되어 돌아왔다

2017년 11월 19일 1판 1쇄 찍음
2017년 11월 19일 1판 1쇄 펴냄

지은이   이해존
펴낸이   정소성
편집   정미라, 성유빈
디자인   한시내
관리·영업   이승순, 박민지
펴낸곳   (주)실천문학
등록   10-1221호(1995.10.26)
주소   서울특별시 성북구 보문로 82-3, 801호(보문동 4가, 통광빌딩)
전화   322-2161~5
팩스   322-2166
홈페이지   www.silcheon.com

ⓒ 이해존, 2017

ISBN 978-89-392-2252-6

이 시집은 한국출판문화산업진흥원 2017년 우수출판콘텐츠 제작 지원 사업
선정작입니다. 이 책 내용의 전부 또는 일부를 재사용하려면
반드시 지은이와 실천문학사 양측의 동의를 받아야 합니다.

이 도서의 국립중앙도서관 출판시도서목록(CIP)은 e-CIP홈페이지(http://www.nl.go.kr/ecip)와
국가자료공동목록시스템(http://www.nl.go.kr/kolisnet)에서 이용하실 수 있습니다.
(CIP제어번호:CIP2017029795)

실
천
시
선

252

당신에게 건넨 말이 소문이 되어 돌아왔다

이해존

실천문학사

차례

제1부

제2부

제3부

제
1
부

수상한 사과

　달콤한 것이 오래 멈춰 있어 이상하다 가끔씩 오가는 눈
동자는 뒤꿈치를 따라갈 뿐, 사과의 향내가 악취를 가리고
도 남다니 이상하다 먼 길을 달렸어도 줄어들지 않는 거리,
나뭇잎이 쌓여간다 바퀴도 모르고 나뭇가지도 모르는 시
간, 세상을 이해할 수 없어 통째로 굴러왔다 발목의 먼지를
털어내고 공중의 집으로 숨어든다 지상의 악취가 오르지
못한다 나무껍질에 허벅지가 긁힐 때마다 단단한 근육이
불거진다 나뭇가지 사이로 나무열매가 잡힌다 갈비뼈 같
은 천장으로 햇살이 번진다 방 안으로 점점 차오르던 햇살
이 부풀어 오른다 터진다 이상하다 나뭇가지가 투명한 허
공을 휘젓는다 나무열매가 앞유리에 으깨어진다 차 안으
로 풀어진 몸이 보인다 마지막 단내를 풍기며 탐스럽게 썩
어간다

유목의 방

　푸른 장막으로 둘러쳐진 둥근 방, 바람의 발톱이 장막을 찍어 흔들어댈수록 방 안은 낮고 아득하게 가라앉는다 고비사막 넘어온 모래바람이 투명한 비닐 창에 붉은 얼룩으로 흘러내린다 울란바토르 외곽의 게르가 옥상에 세워졌다 그가 가죽부대에 담긴 마유주를 건넨다 이 밤이 지나면 그는 새로운 목초지로 떠날 것이다 별들이 무게를 견디지 못하고 밤의 푸른 정맥을 긋는 날이다 두려우면 하지 말고 했으면 두려워 마라* 멀리 모래바람이 사나운 말처럼 갈기를 세우고 있다 말고삐 당기던 초원이 점점 멀어져가고 펄럭이는 장막은 두 평의 하늘로 어두워진다 양떼 같은 가족의 눈망울들 낮은 천장에 촘촘히 박히는 밤, 식탁 한가운데 대초원을 사이에 두고 엎드려 잠든 몽골 사내 한쪽 어깨가 끝끝내 중심을 버틴다 고시원 휴게실이 조금씩 서쪽으로 기울어 가고 있다

---

* 몽골 속담.

벽

줄넘기하는 아이의 발목 없는 그림자가 떠 있는 오후, 줄
에 걸려 넘어진다 뻗쳐 있던 머리카락이 어둠으로 내려앉
는다

사소해서 몸집을 부풀리는 속임수는 독이 없다 한 번이
라도 나를 스쳐가지 않은 것이 없다 이제 모서리가 필요하다

대치 끝에 악수하고 또 다른 모서리에서 만난다 모서리
가 향하는 곳에서 모든 것을 지켜보고 있는 거리

마임처럼 새겨진 손바닥들, 저편에서 같이 벽을 밀어내
고 있다

버스를 기다리다 지친 그림자가 주저앉는다 얼굴을 괸
손바닥을 밀고 있다

손바닥 사이에서 납작해진 몸이 벽이 되어간다

데드라인

계단보다 많은 발이 뛴다
외투를 의자에 걸치거나 현관에서 양말을 벗는 문에서
문으로

넷째 주마다 캐터필러가 달려온다
불도저가 길을 펼치고 길을 떼어가는 캐터필러에 올라
런닝머신처럼 달린다
발바닥이 길게 흘러가다 코가 깨진다
떨어진 꽃잎이 캐터필러 속으로 빨려들어 간다

에스컬레이터가 달아난다
맨 위층에서 접힌 시간이 오늘 아침 첫 층계참으로 이어
진다
하나씩 모서리를 펼치며 에스컬레이터가 시간을 뱉어낸
다

사라진 시간이 에스컬레이터 뒷면의 어둠 속에 거꾸로

매달려 있다

  넷째 주마다 첫 층계참에서 거꾸로 매달린 몸을 털고 또
다시 얼굴을 내민다

  가쁜 숨을 몰아쉬는 아침, 발끝으로 사람들을 끌어올리
는 무한궤도
  숨을 들이쉬고 저녁에는 땅속으로 뱉어낸다

  두 그루 나무가 이어진 곳, 문에서 문으로 나무뿌리가 뻗
친 곳까지
  겉옷을 걸치고 횡설수설을 지나 구두를 벗는다
  가지를 흔들어 나뭇잎을 끌어 덮는다

  연결통로에서 연결통로로
  외투와 계단, 침대가 무한궤도 따라 철컥철컥 돌아간다

잘린 손

검지가 무언가를 가리킨 채 팔목이 잘려 있다
도로 위에서
찢어진 살점 속으로 내가 보지 못한 뼈

구름을 가리키다 순식간에 아스팔트를 궁리한다
오래된 아스팔트와 담배꽁초 사이
몸의 자세를 기억하고 있는 팔목

질주하던 바퀴가 통제되고
얼굴 없는 손을 들어 올릴 때
그림자가 뿌리째 딸려 나온다

검지로 탁자를 두드리며 오늘을 각오했을
한 방향을 가리켰을 손짓의 의미

오른손을 지켜보던 왼손도 사라지고
죽은 새의 가슴을 만지던 촉감으로

팔목의 그림자를 들어올린다

무너진 잔해와 화염
팔목 잃은 얼굴이 피어올랐다 흩어진다

옆구리

옆구리에 방이 있다 방에는 식탁도 꽃병도 빗장도 없다
누구나 휘돌아 나갈 뿐 살이 되지 못하는…… 오래된 벽지
를 뜯어내면 살내가 났다 벽지를 돌돌 말아 창문을 만든다
그사이 옆구리는 더 넓고 어두워져 메아리만 키운다 당신
에게 건넨 말이 소문이 되어 돌아왔다 탁자 위 메모도 없이
옆구리를 빠져나갔다

치명적인 옆구리의 사내가 있다 바람이 비닐봉지를 부
풀리고 소주병을 쓰러뜨린다 무언가 쏟아내지 못한 것들
이 쓰러져 옆구리가 된다 바람이 잔가지 쏟아낼 때, 사내가
몸을 일으켜 한 손으로 옆구리를 뒤져본다 두툼한 주머니
에서 두루마리 길게 풀려 나온다 꼬리처럼 드리우며 걸어
간다

처음부터 식탁도 꽃병도 빗장도 없었던 것은 아니다 오
랫동안 옹이 진 한 사람이 빠져나가고 한쪽 옆구리로 기울
기 시작했다 회디흰 갈비뼈로 빗장을 걸고 옆구리를 베고

눕는다 언제부턴가 자주 주머니 속에 손을 넣었고, 구멍 난
주머니 속으로 따뜻한 내 살을 만져본다

세입자

전화를 끊자마자 그가 달려왔다
킥스탠드를 후려치듯 받치고
자전거 앞바퀴가 나를 지목한다

쌓였던 표정을 데리고 와
원래 따뜻하지만 무겁고 차가운 입을 떼는 거라고
고개를 구부린 채 양손을 주머니에 찔러넣는다

나도 고개를 숙인 채 앞발만 쳐다본다
가끔 발등으로 종아리를 긁적거리고
허전한 목덜미를 쓸어내린다

부탁을 부축해주지 않으면
무너져 내릴 것 같은 표정으로 강요를
이번이 마지막이란 말을
다음에도 꺼내먹을 수 있을지 나를 탐문한다

나는 젖은 손으로 불려와
머리카락에서 떨어지는 물방울을 참는다

벼랑 끝에서 서로의 등을 밀어버리고 싶고
스스로 뛰어내리겠다는 표정도 짓고

문득, 고개 젖혀 올려다본 하늘
참새 한 마리가 치솟아 오르고
다시 고개 숙여 똑같은 자세
하늘과 땅 사이로 그의 얼굴이 지나갔던가

둘 사이에는 이왕이면,이 끼어 있어
갑자기 던져진 무게를 놓고
발끝으로 슬쩍 밀어내면서 저울질한다

윤곽

액자 속에서 오른손을 꺼내어 표정을 다듬는다 거울 앞에
서, 당신이 모호해질 때 당신은 이미 나의 반짝이는 이마를 생
각한다

액자 속으로 늘어나는 뒤통수가 사람들을 불러 모은다 뚫어
져라 쳐다보는 한 점이 액자였다가 거울이었다가…… 팔짱 낀
중절모가, 주인을 따라나선 고양이가 액자 앞으로 모여든다

처음부터 없는 윤곽 위를 떠돈다 당신이 쌓아올린 무표정보
다 두꺼운 순간, 무표정한 얼굴을 쏟아내며 똑같은 표정을 읽
는다

가벼운 것을 무겁게, 액자가 액자 속에 액자 속에…… 소실
점으로 들어가다 형체를 잃어버린다

내가 바라보는 것은 액자 속에 액자를 바라보는 뒤통수들

절벽에 매달린 뒤통수 속에서

한 장 한 장 풍경이 겹쳐지고 투명해질 때, 액자가 모호
한 얼굴을 견디고 있다

유예된 시간

　오랫동안 한 사람으로 완성되었다 한 사람이 두 사람으로 찾아올 때, 한 사람을 반성하고 귀에 대고 소문을 얘기한다

　결정은 최대한 지연된다 멀리 던져버린 무거운 돌멩이가 나를 끌고 다닌다 아무도 말하지 않는 몸이 한 사람 쪽으로 기운다 이미 결정된 것이 등 뒤의 가시 박힌 담장에서 이뤄진다

　소문을 실어 나르는 발자국과 불가능한 것을 기획하는 이마들, 아무것도 없는 곳으로만 질주한다

　오래 세워진 것들이 조금씩 기운다 나를 속이면서 친절해질 때, 아무도 믿지 말라는 귓속말이 더욱 은밀해진다

　탁자 위에 놓아둔 서류를 오늘은 읽고 내일은 접고 어제는 찢어버렸다

조금씩 기울면서 무너질 때, 다른 세상이 나타난다

따뜻한 귤

휩쓸지도 모른다 나는 풍문이 아니어도 풍문이 나를 띄우고, 연줄처럼 감았다 풀었다 목줄을 낚아채고 집으로 돌아간다

제외된 은밀함이 탁자 앞으로 모여든다 탁자 위 바구니에 썩어가고 위로하며 입을 닫아버린 껍질들

바깥으로 에워싼 공기가 방 안을 희박하게 한다 나의 밖에서 나는 부풀려지고 바닥이 없다

무너지고 남은 벽이 비석처럼 서 있다 소문을 바라보는 사이 등 뒤의 호의가 풍문으로 바뀐다

보태고 생략하고, 풍문으로 빚어진 숲을 빠져나갈 수 없다 시간을 멀리 던져 사라진 길을 만든다

열려진 귓속으로 드나드는 바람

발아래 뒤틀린 입술들이 눈처럼 떨어진다

프린팅 빌리지

창가 물웅덩이가 천장에 물그림자 새긴다
일렁이는 무늬는 태양이 목을 축이는 숨결이다
수천 줄기 노란 실버들처럼 흘러내린 전깃줄
책상으로 불빛을 뿜어올린다

전지(全紙)에 번진 잉크처럼 비구름이 떠 있다
콘크리트가 사방으로 자라날 때
이곳은 침몰 중이다
평평한 이마를 맞댄 처마들
끓어오르는 기계음과 진동으로 어깨를 들썩인다
기왓장 다독이며 뛰어내리는 빗줄기에
엉킨 참새 한 마리 솟아오른다
날갯짓을 따라가던 시선이 빗줄기에 갇힌다

사이안 마젠타 옐로 블랙 블랙 블랙……
담뱃불처럼 글자 색으로 어두워지는 거리
인쇄소의 달궈진 열기를 들이마시는 실외기들

프로펠러가 빗방울 튕겨내며 뿌리를 조금씩 들어 올린다
물기 머금은 지붕이 비늘처럼 번들거릴 때
빗줄기 휘감은 기왓장들 승천하려는 듯 들썩인다

좁은 철제 계단을 오른다
모니터 앞에서 한 장의 꿈을 배열하는 도안가
긴 손마디가 마우스 패드 위에서 빗금의 거미줄을 친다
아직 인화되지 않은 꿈들을 펼쳐본다

잉크들로 어두워진 문을 밀치면
쌓였던 기계음이 우루루 쏟아져 내린다
깨알 같은 활자의 독경 소리
기계음에 묻힌 인쇄공이 묵묵히 먹물 번진 파지를 골라
낸다
밤새 품었던 모니터 속 꿈들이 부화한다

탐문

차마나 이미 앞에서 안경을 벗었다
표정 대신 윤곽을 바라보며 예감으로 길들여진 눈동자
를 삼킨다

　나도 그럼 당신을 바라볼 필요가 없어요
　가장 깊은 동굴에는 눈이 없는 곤충이 산대요
　모든 눈동자를 삼키고 동굴이 어두워졌어요
　애초에 내가 보지 못한 어둠이에요

더듬이 끝에 의심의 눈을 달고 달팽이처럼 느리게 몸 밖
을 살핀다

　의심의 끈을 길게 잡아당겼다 놓으세요
　하루 종일 느슨해질 수 있어요

점점 어두워지는 눈이 오랫동안 예감을 쌓아 왔다

그건 심각한 맹목이에요

예감이 생각으로 옮아가고 확신에 찬 말을 쏟아낸다

차라리 끝까지 더듬이 언어로 말해주세요
안경 속 흔들리지 않는 눈동자를 벗으세요
'보기에 좋더라'는 눈뜨기 이전의 일이에요

불온한 숲

늦거나 이른 십분 전처럼 쪼그려 앉아 있다
담배를 물고 재빨리 일어설 수 있는 자세로
그림자 떨어뜨리고
나를 몰아넣은 어젯밤이 햇살에 부서진다

등 뒤의 건물에서 무슨 일이 벌어지고 있나
서로의 몫을 셈하고 책임을 미루는 사이
무성한 나뭇잎이 의문의 그림자를 드리운다

숲속의 눈동자가 공터를 훑는다
벗어날 수 없는 자리를 곁에 둘 때
물러나다 돌아보는 짐승의 근육처럼 낚아채기 위해

무거운 머리를 이고
구름과 발끝 사이에서 더듬어 나간다
누군가 부르기 전까지 담배가 타들어가고
그때는 이미 늦어버렸다

32

내가 나를 열고 나갈 수 없는 길
숲속의 나머지가 의심으로 병들어가고
병들어가는 건 내가 불러줘야 할 이름들

더 깊은 숲속으로 숨어든다
빠져나갈 수 없어 떠오르거나 건너가야 할 때
오로지 필요한 것은 숲속에 나를 가둘 시간뿐

깊은 어둠 속에서
구멍에 구멍을 내는 것이 빛을 찾아가는 것이라고

동굴의 입구를 처음 연 것처럼 빛이 쏟아져 나올 때
빛을 빨아들이는 숲속

순간의 사라짐이 나를 되살린다

공평한 어둠

맨 앞줄이 입장을 기다리며 모자를 벗는다. 두 번째 줄이 양복의 앞섶을 턴다.

열두 칸 건너 흩어져 있는 사람들. 서른 칸 안으로 모여 있는 사람들. 타일이 깔린 길 위에서 순서를 기다린다.

이 세계는 빛과 어둠이 가른 사각형으로 완성된다.

옆 칸이 같은 칸이 되려 할 때, 불공평하다고 투덜댈 때, 모서리가 조금씩 틀어진다.

한쪽에서 틀어진 좌표를 걷어내며 정확한 좌표로 고쳐 심는다.

매일 기다리기 위해 같은 배열로 선다.

검지손가락이 가장 큰 대리석에 앉아 책상을 두드린다.

오로지 한 사람씩 내보내기 위해 책상 앞에 앉아 있다.

규칙적인 배경 속에 덧니처럼 드러나는 차이들.

한꺼번에 간격을 지우며 지붕의 그림자가 미끄러진다.
공평한 어둠이 깔린다.

연루된 밤

기다란 소파가 사방 벽에 붙어 있다 소파 모서리에 어깨를 접어 넣는다 자연스럽게 들린 한쪽 다리를 소파 끝에 걸쳐놓는다

탁자 위 깨진 술잔으로 시선을 떨어뜨린다 던져놓은 시선이 자신에게 멀어져 자신이 되려 한다 등받이와 등 사이 채울 수 없는 공간으로 허기가 몰려온다 탁자 모서리가 자꾸 가슴을 찌른다

불친절한 팔들이 뒤섞이고 또다시 솟구치려는 팔목을 누군가 끌어내렸다 한 사람 때문에 모두가 연루된 밤

늦게 찾아오고 일찍 잊어버리는 모욕으로 모서리는 잘 들어맞는다

담배를 찾으러 갔을 때, 모서리에 숨죽이고 있는 그림자를 훔치다 되돌아 나온다

탁자 모서리가 가슴을 뚫고 벽의 모서리로, 외벽으로 날을 세운다 세상이 뾰족하다

감별사 K

밟아봐야 알 수 있는 지뢰가 있다 문맥 속에도, 어깨 너
머 근엄하게 서 있는 빗어 넘긴 머리칼 속에도 있다 때론
지뢰를 묻은 뒤 까맣게 잊기도 한다 지뢰를 찾아내지 못해
숲속 꿰뚫고 있는 검독수리들에게 정수리 쪼이고, 소갈머
리 없는 소문이 바람을 타고 결국 이마에 당도하기도 한다
지뢰를 묻은 자는 너무 해박해 사소한 것들 그냥 지나치기
도 하고, 황금숲의 지형지물 꿰뚫고, 젖은 모래 밟고 선 발
가락은 정확히 안락의자가 놓인 테라스를 향해 있다 해가
지기 전 안락의자에 앉아 어둠이 집어삼킨 숲속 바라보며
팔짱을 낀다 설계도를 쥐고 무심코 흘린 자와 그것을 찾아
내야 하는 사람, 휘황한 빛을 닫아버린 나뭇잎들 어둔 시력
이 조금씩 익숙해지기를 기다린다 컨베이어 벨트가 한 바
퀴 돌면 양복 앞섶 툭툭 치고, 넥타이 한번 고쳐 맨 인형이
공장 문을 나선다 저녁이면 풀어헤친 넥타이와 구겨진 옷
깃으로 대문 앞에 주저앉기도 할…… 불량하다 암말이 당
나귀와 흘레붙어 그만 노새를 낳고 말았는데 그것도 붙어
봐야 알 일, 속도 모르는 노새는 신이 나 이리저리 날뛰고,

어느 밤 마구간에 숨어들어 노새를 한방에 날려 보냈는데
흘레붙은 일보다 한방에 날려버린 일이 더 크게 벌어지고
말았는데…… 지뢰를 밟지 않고 가뿐이 떠내는 고수도 있
다 당겨진 조준점 한가운데 티끌을 응시한다 숲에 마음을
빼앗긴 사람은 밟지 말아야 할 것들, 끝내 밟아봐야 알 수
있다 황금숲에는 아직도 잘린 발목만 즐비하다

사이안

오늘은 오늘의 색으로 조금 바뀐다
어제를 떠올리면 내일은 깨어나고 싶지 않지만
횡단보도를 두 번 건너고
바람이 불고 발등에 햇살이 내려앉는다

붉은 벽돌 하나하나가 다르고
움직이지 않는 어제의 거울이 오늘 다르다
모두 똑같아 보여도 비슷할 뿐
벽에서 이목구비를 찾아낸다

똑같은 것에 익숙해진 시간이
얼굴 뒤에 숨은 얼굴을 알아보지 못한다
끊임없이 한쪽을 확인하는 동안
다른 한쪽은 그런 똑같은 얼굴을 의심한다

다르다고 확인하는 순간
우리의 의혹은 닮아가고

바탕을 숨기고 각자의 깊이로 뛰어든다

백퍼센트로 짙어지는 빛깔

캄캄한 액정 속에서 수많은 지문이 드러난다

너머의 일

아직 다 부서지지 않은 물건을 부순다. 처음에는 돌멩이를 던지다 물건 위에 올라가 머리만 한 돌덩이를 번쩍 들어 올려 떨어뜨린다.

내려놓고 다시 내려놓는 힘이 세다. 힘겹게 들어 올려 머리 위에서 정지, 알 수 없는 힘까지 보탠다.

부서질수록 새로운 물건으로 태어난다. 밑에서 올려다보는 눈동자가 돌덩이 든 너를 머리 위로 들어 올렸다 내려놓는다. 너도 함께 부서지고 있다.

커다란 돌덩이가 정수리를 내리찍고, 가시철조망 위에 핏물이 엎질러져도 그럴 수밖에 없는 명령을 따라가지 않는다.

나를 부수고 다시 시작할 수 있나. 과감한 탈주를 감행한 적 있나.

너는 담장에 한쪽 발을 걸쳐놓고, 담장과 한 몸으로 솟아
오른다. 구름 속으로 사라진다.

방향

　위태로운 나뭇가지에 매달려 있을 때, 나뭇가지에 올라
내 손을 붙든다 한 곳으로 향한 두 방향이다 가위눌린 잠,
꿈 밖에서 꿈속을 응원했다

　한쪽 귀를 열고 방향을 가리켰다 흘러내리는 음악이 바
닥을 적실 때, 잘못된 방향이 사라진다 수많은 방향을 싣고
선로는 한 방향으로 뻗어 있다

　눈앞에 나타났다 사라지는 것들, 밤의 셔틀콕처럼 순식
간에 사라지면 모든 방향이 될 수 있다

　똑같은 어제로 돌아간 것 같은 깊은 잠이었다 승강장으
로 향하는 길이 신발 뒤축으로 질질 끌린다

　하루 종일 앉아 있던 의자를 바라본다 내가 앉아 있지 않
은 내 모습이 보인다

제
2
부

이곳은 난청이다

제기동 134-6번지는 난청 지역이다 내 키만 한 곳에 창을 단 골목을 지나 주인집 대문을 열면, 또 다른 골목으로 창을 낸 내 방으로 통한다 사방 처마가 전깃줄을 끌어내려 밑동을 땅에 묻지 않아도 넘어지지 않을 것 같은 전봇대, 그 어지러운 전깃줄의 수혈이 아니고는 이곳은 난청이다

큰소리로 오는 추위가 아니면 꿈쩍 않는 난방 온도는 가는귀먹은 주인집 할머니 방에서 맞춰진다 언제나 보일러 온기는 이곳 사람들의 체온을 밑돈다 말도 아끼는 주인집 할머니, 아침저녁 큰소리로 기도드리고 밤새 마른기침 토해낸다

고양이가 처마를 맞댄 집들의 지붕을 지나다 내 머리 위에서 도망가나보다 읽히지 않는 책, 몇 번을 헛짚다 머리맡에 놓는다 누군가의 안부를 떠올렸다 지운다 깡마른 안테나처럼 방 안에 누워 스스로를 수신하며 뒤척인다 이곳에 닿기 전 밤하늘에 묻혔을 안부들이 흐린 별빛으로 떠돈다

녹번동

1

　햇살은 오래전부터 내 몸을 기어다녔다 문 걸어 잠근 며
칠, 산이 가까워 지네가 나온다고 집주인이 약을 치고 갔다
씽크대 구멍도 막아놓았다 네모를 그려놓은 곳에 약 냄새
진동하는 방문이 있다 타오르는 동심원을 통과하는 차력
사처럼 냄새의 불똥을 넘는다 어둠 속의 지네 한 마리, 조
정 경기처럼 방바닥을 저어간다 오늘은 평일인데 나는 百
足으로도 밖을 나서지 않는다

2

　산이 슬퍼 보일 때가 있다 희끗한 뼈마디를 드러낸 절개
지, 자귀나무는 뿌리로 낭떠러지를 버틴다 앞발이 잘리고
도 언제 다시 발톱을 세울지 몰라 사람들이 그물로 가둬놓
았다 아물지 않은 상처가 곪아가는지 파헤쳐진 흙점에서

48

벌레가 기어나온다 바람이 신음 소리 뱉어낼 때마다 마른
피 같은 황토가 쏟아져 내린다 무릎 꺾인 사자처럼 그물 찢
으며 포효한다

3

　저마다 지붕을 내다 넌다 한때 담수의 흔적을 기억하는
산속의 염전, 소금꽃을 피운다 옷가지와 이불이 만장처럼
펄럭이며 한때 이곳이 물바다였음을 알린다 흘러내리지
못한 빗줄기를 받아내는 그릇들, 부글부글 끓어올랐다 방
안에 고인 물을 양동이로 퍼낼 때 땀방울이 빗물에 섞였다
오랫동안 산속에 갇혀 있던 바다가 제 흔적을 짜디짠 결정
으로 남긴다 장마 끝 폭염이다 살리나스*처럼 계단을 이룬
집들을 지나 더 올라서면 산봉우리다 계단 끝에 내다 넌 내
몸 위로 햇살이 기어다닌다

---

* 페루 고산의 계단식 염전.

49

길을 잃다

1

아직 콘크리트로 덮이지 않은 시간을 지척에 두고 지렁이는 길을 잃었다. 오도 가도 못한다는 불안이 제 무덤을 판다. 지렁이는 나아가는 것이 아니라 파고들기 위해 필사적으로 꿈틀거린다. 바닥에 못을 치다 딱딱하게 구부러진 지렁이들. 지렁이를 피해 걸어가다 넓은 보폭이 미안해지는 길.

2

운동장에 들어선다. 둘레를 돌며 한가운데를 넓혀나가는 사람들. 어지러운 동그라미가 파장으로 퍼져 나가 이파리를 흔든다. 저 둘레에 발걸음을 섞으면 꿈틀거리며 걸어온 길도 둥그렇게 펼 수 있을까. 어지러운 동심원 뚫고 운동장을 가로지를 때, 잘못 든 길 한가운데 갇힌 것 같아 주춤한

50

다. 발걸음이 가장자리로 쏠린다.

3

소나기 타닥타닥 제 몸을 바닥에 튕겨낸다. 콘크리트 바닥 위에 잔가지와 함께 뒤엉킨 지렁이들. 구멍으로 흘러들지 못하고 가닥가닥 떠오른다.

안락한 변화

아침마다 뾰족 구두가 계단에 긁힌다
세상을 꿰뚫어 올릴 듯 도로가 머리 위에서 달린다
내려야 할 곳 지나칠 때면 펼쳐진 책이 글러브처럼 공기
를 낚아챈다
다시 회전문을 밀치고 계단을 내려선다
그사이 폭설이 내렸고 산수유나무가 꽃망울을 터뜨렸고
구두코에 빗금이 늘어났다
보도블록으로 어둠이 배어든다
불빛 속으로 숨어들고 싶어 여러 얼굴 떠올린다
만나지 않은 사람, 이미 어제의 반듯한 코를 세웠고
나누지 않은 얘기 한쪽 귀만 떼어 갔다
주머니 속 눈알만 만지작거리며 집으로 향한다
배치를 바꿔볼까,
오랫동안 서 있던 접이식 책상의 무릎을 꺾어
의자 대신 방석을 놓는다
주머니 속 한쪽 눈알을 꺼내
얼룩진 벽지 위에 카코딜 눈*처럼 붙여놓는다

책꽂이와 침대의 위치도 바꿔본다

일테면, 그사이 폭설도 없었고 산수유나무는 내내 마른
가지를 늘어뜨렸고

구두코는 말짱했다

탁상 달력은 열두 장을 돌아 처음 그 자리다

나는 다만 사라지고 싶을 때가 있고

무언가 저지르고 싶은 일은 아무 일 없어 정말 다행이고

---

* 캔버스에 서명, 말장난, 낙서, 경구들로 가득 차 있고, 그 위에 그린 커
다란 눈 하나가 관람자를 빤히 바라보고 있는 듯한 피카비아의 그림.

망점

평평해지는 얼굴, 눈에 박힌 불빛을 털어낸다
책상 위로 모래가 쏟아져 내린다

숫자 속에 달력이 있고
늙은 세포 속에 손등이 있다
컵 속에 흑염소 중탕이 들어 있고
내 몸이 점점 희박해진다

말보다 희미하게 새어나오는 발음
입술을 종이컵처럼 벌리거나 물어뜯으며
모니터를 바라본다
자세히 보면 모든 가장자리는 깨져 있거나 번져 있다

창밖으로 겹눈을 가진 전광판이
서로의 가장자리를 주고받는다
불을 포기한 집들이 무너진다
잘못 쏘아 올린 우주선이 지구를 향해 돌진한다

남의 손에 맡겨진 목숨의 확률
현재 시간, 미세먼지 농도

멀어질수록 조밀해지는 그 어디쯤에 나는 서 있다

글자들이 책장을 펼치고
흑염소가 컵 속의 물을 핥는다
세포분열이 손가락을 무력무럭 자라게 한다
내 몸이 조밀해져간다

내 몸에 붙어 있는 점들을 하나씩 떼어낸다
앉아 있던 의자에 모래가 쌓여 있다

간질에 대한 오해

병이 아니고 단지 증상일 뿐이라고?
오래된 증상이 그 사람의 모양을 만들기도 하지
떨림의 징후가 감지되는 순간
두드러기처럼 온몸에 퍼져 나가는 뻣뻣함을 봐
떨림은 은유가 아니고 병이라고
나 아닌 누군가 내 몸을 붙들고 있는 걸까
죽은 영혼을 몸에 싣는 영매도 이물감에 몸서리치잖아
아무렴, 황홀경 속에 뒤바뀌는 생과 사의 갈림길에서야
봐, 바로 눈앞 술잔이 용수철 장난감처럼 출렁이잖아
몸속 기억을 모두 펼쳐봐
그 속에 나 아닌 많은 눈동자가 있다면
그건 이미 잘려진 기억일 거야
뼈마디를 자근자근 재워놓는 술에 취한다면
떨림을 잦아들게 할 수는 있지
한꺼번에 취할 수 있는 알약은 왜 없는 걸까
긴장하지 말라고?
마음보다 병이 저만치 앞서 있어 속수무책이야

봐, 바람도 없는데 이유 없이 머리카락이 흔들리잖아
떨리는 약포지가 놓쳐버린 프라놀 한 알,
동전처럼 구르다 모서리에 숨어버렸어
놀란 눈을 뜨고 날 바라보고 있지
공복에 집어삼킨 프라놀과 리보트릴*
동전처럼 짤랑거리며 몸속 깊이 떨어지는 소리가 들려

---

* 진정제의 일종.

경건한 식사

식탁과 티비가 시선을 주고받네요 밥을 넘기고 고개를 돌리고 누군가 옆에 있는 것처럼 나도 가끔씩 조잘거리고, 늦은 저녁밥을 먹어요 비스듬히 티비를 보고 벽을 보아요 골똘히 얼룩을 바라보면 얼굴과 닮았다는 생각, 모든 얼룩에서 얼굴을 찾아요 오늘은 이목구비가 깊어져 표정을 짓네요 숟가락이 내 몸을 다 떠낼 때까지 티비를 켜요 관객이 웃고 미혼모가 울고 툰드라의 순록이 뛰어다니고, 이야기가 밥알처럼 흘러내려요 지금은 사실과 농담이 필요한 식사 시간이에요 식탁에 앉아 티비와 인사해요 세상으로부터 허구가 되어가는 아주 경건한 시간이에요

망각

  시들지 않고 용케 견딘 화분이 깨어져 뒤엉킨 발 내놓는
다 누군가 고마운 비를 뿌리고, 콩나물처럼 쑥쑥 자라난 발
목을 뽑아가기 전까지 내 곁에 있던 당신을 잊고 살았다

  머리를 툭툭 누르면 걷지도 못하는 발목이 자라나는 샤
프 펜슬, 짧은 발목은 뽑아버리고 주머니에 넣고 다닌다 지
우개의 가능성이 밑줄을 덧칠한다 책장을 펼칠 때마다 거
미줄이 딸려 나온다

  누 떼 앞발이 살살 지면의 두개골을 긁는다 어지러운 발
굽 아래 지구본이 돌아가고 머릿속에 뿌연 먼지가 일어난
다 오래된 책장에서 흑연 가루가 쏟아져 나온다 머릿속을
뒤적이던 손가락도 잃어버린다

  당신이 정면에서 문을 꽝 닫아버리고 사라졌다 외투를
벗자마자 찬바람이 파고들었다 다 젖고 나서 우산을 샀다

확실한 거실

창문이 창문을 바라본다. 운동장을 사이에 두고 층수가 달라도 시선이 같아진다. 내가 떨어뜨린 눈동자에 모래알이 박힌다.

창문마다 다닥다닥 붙어 있는 함성 소리. 운동장은 운동장의 몫으로 비어 있다. 아이들을 내보내고.

우리의 거실은 운동장처럼 확실하다. 발소리와 물소리가 뒤섞여 발바닥이 투명해진다.

매일 만나면서 발각되고 발각되면서 만난다. 얼굴을 조금씩 나눠 가지면서 의자에 걸쳐놓은 수건이 딱딱해진다.

나 같지 않은 당신이어서 다행이다가, 운동장처럼 확실한 당신이어서 조금 불행이다가.

각자의 방으로 들어서고 거실은 거실의 몫으로 비어 있다.

거실과 빈 교실 사이, 두 개의 창문으로 우리는 같은 사막을 나눠 갖는다.

구피가 되어가는 남자

당신 목소리가 머리에서 발끝까지
잘 흘러내릴 수 있게
놀란 머리칼과 뾰족한 발톱을 들킨다면
처음부터 목소리가 없는 곳에 있든
목소리 뒤편에 앉아 손톱 정리나 하며 힐끔거리든지
하지만 양손은 가지런히
들키지 말아야지

자꾸 턱을 괴거나 의미 없는 질문을 하고
내 안으로 숨어드는 습관적인 자세
의자의 삐걱거림이 멈추지 않아
들키지 말아야지
당신, 당신 친구, 당신 친구의 친구들이 늘어날수록
주머니 속에서 조제하는 알약의 손톱자국

오늘 만남은 성공적이야
고백하지 않고 무거운 소문을 들고 왔어

열대어 구피는 이제 그만 돌봐야지
소문 내지 말아야 할 비밀들이 쌓이고
습관이 돋아나려 해
나도 말하지 않고 입 벌리는
중요한 구피가 될 수 있어

결정

깍지 낀 뒤통수를 끌어당긴다
얼굴과 탁자 사이로 시간이 교차한다
한꺼번에 쏟아지는 의문들
머릿속이 희박해진다

어둠을 등지고 젖혀진 커튼 사이로 걸어간다
창문 앞 또 다른 탁자에 두 팔을 짚고
고개를 떨군다
어두운 구름이 어깨 위로 떠간다

쌓아둔 서류가 두 눈을 찌른다
돌이킬 수 없는 일이 막 시작되려 한다

탁자 속으로 손바닥이 깊게 패일 때쯤
탁자를 뚫고 손목에 수갑이 채워질 때쯤
천천히 전화기를 든다

무거운 말을 혀끝에 올려놓는다
휘어진 혀끝에서 떨어진 말이
바닥을 적신다

일인자

안녕, 무표정의 달인 키튼 씨
야생 사자를 쓰다듬으며 소파에 앉아 있습니다
표정을 단련 중입니다
한번도 열리지 않은 입꼬리가 처집니다

처진 입꼬리를 치켜 올려 피에로가 된 키다리 아저씨는
오늘도 풍선을 붑니다
볼따구가 터지도록 풍선을 불고
손가락을 펼쳐 보이며 입꼬리를 환하게 치켜 올립니다
조커와 피에로가 거울 속에 겹쳐질 때 분장을 지웁니다

키튼 씨는 지워진 분장 속에 있습니다

레몬을 늠름하게 베어 물고 카메라를 향할 때
자신에게서 가장 멀어집니다
안녕 키튼, 안녕 피에로, 내일을 위해

선언을 할 때마다 콧수염을 만져 들켜버립니다
그래서 달인의 콧수염은 얌전합니다
관객을 배꼽 잡게 하는 건
레몬을 먹어도 늠름한 무표정입니다

달인이 콧수염을 씰룩거리며 표정을 연습 중입니다
피에로와 달인이 악수를 하거나 머리를 휘갈길 때
달인이 퇴장을 합니다

키튼 씨는 매일 아침 파스를 떼어내고 아령을 듭니다
수염은 기르지 않습니다
촬영 전, 우두둑 손마디 꺾는 소리를 내고 목을 돌립니다
표정은 따로 챙겨 두었습니다

키튼 씨는 표정을 진지하게 생각하는
무표정의 진정한 달인입니다

이미테이션

가짜의 전성기가 영정사진으로 걸리고 진짜 이름을 찾
았다

무얼 해도 오래된 것 같다는 얘기는 능숙하다는 걸까 식
상하다는 걸까
그보다 더 능숙하고 오래된 것을 쫓다가 내 목소리를 잃
었다

진품보다 많은 기념품들, 기념품보다 많은 사람들이 한
곳으로 향하고
나는 모니터 속 애인과 기념품이 필요하다

기억력보다 완강한 이미지
두꺼운 입술, 툭 튀어나온 광대뼈, 입 모양과 말투

오늘은 진짜를 능가하는 추모가 이어지고
내가 더 걱정이어서 당신에 대한 걱정이 위로가 되지 못

한 나날들

잘 있거라,
오늘은 찬송가 대신 내 망한 노래를
진짜 이름과 망할 놈의 노래를 틀어줘,
누구도 기억 못할 첫 번째 얼굴과 목소리

마지막까지 손에 쥔 것 말고는 아무것도 없는 대기
그 속에 내 목소리를 끼워줘,

오늘은 어쨌든 죽어서 진짜가 되는 날

이상한 맹세들

목이 부러지고 제복이 찢어진다 발바닥에 달라붙은 기
둥이 부서져 내린다 칼을 쥔 왼손이 얼굴 없는 몸통을 끌어
당긴다 구름이 깨진 조각들을 쓸어낸다

어제가 없는 세계 속에서

제국의 상징을 다시 세운 곳, 폭약과 총을 든 주동자 X,
기단에 한 발을 딛고, 광장의 한낮은 명징하다

석상을 세운 건, 석상의 자세

X를 향해 Y가 달려온다 무너진 석상을 밟고 오르는 것이
제복의 법칙이다 깨진 돌의 얼굴과 타오르는 맹세들

갈라진 틈으로 햇살이 파고들고, 빙점의 살점이 돋아날
때마다 단단해지는 마디들

대리석을 깎고 대리석을 세우는 파쇄(破碎)의 지점,은 기
념비적이다

밤마다 Y가 Y를 망치로 깨부순다

선상 도시

너무 많이 담겨 아무것도 없는 것처럼 완벽하다

현란한 손가락 사이에서 피어나는 마술
어느 날 손목이 잘리고
바다를 잊어버린 선상에서 파도로 뛰어들 때
아무도 보지 못한 바깥을 보게 된다

완벽한 침몰을 바라볼 수밖에 없는 창문과 파도

당신을 바라보는 창문, 그 속에 담겨 있는 나는
하루 속에서 일 년을 다 끄집어낼 수 있다
하나씩 생겨나고 한순간에 사라지는 어둠 속
식탁에 몰두하고 침대와 의자에 몰두하고 나를 하나씩
꺼내놓는다

망망대해를 바라보는 누군가의 한 점이거나
걸어보지 않고도 다 볼 수 있다는

아무것도 없어서 완벽한 창문, 어둠 속에 떠 있다

그림자를 데리고 하루 종일 붙박여 있을 내일도
내 속의 전부는 나를 보지 못하고,

단절

대화를 나누거나 스스로 집중하거나
음악은 그들을 공평하게 엮어놓는다

커피콩을 수확하는 모습이 벽에 걸려 있다
그 아래 대화를 나누는 사람들

나는 나를 떼어놓고 우연에 기대어 본다
글자들을 흩뿌리고 밟고 골라내며
살아있는 것들에 포크를 찔러 넣어보는 시간

도망간다
펼쳐놓은 노트도 앉아 있는 의자도

성급한 유리잔에 입술이 데인다
뙤약볕 아래 연초 잎이 담배연기를 내뿜는다

이 관계를 끊어버리고 싶어

아무도 눈치채지 못하게
커피 열매와 커피 잔 사이, 가시덤불과 대리석 사이

모든 공정을 짜낸 한 방울이 흐르고
벽을 바라보던 무표정한 시간이
트레이를 들고 가로지른다

역류

불꽃 위 눈송이가 너울댄다
장작은 젖지 않는다
불꽃이 거품을 불어 어항을 빚는다
넘치지 않는 눈금으로
플라스크는 끓어오를수록 고요하다
저물면 또다시 밤인 물속에
잉크를 떨어뜨린다
해파리 떼가 바닥을 치고 다시 떠오른다
터질 듯 역류하는 불꽃
빨간 금붕어가 카펫 위에서
아가미를 껌벅거린다

스피커에서 〈백만 송이 장미〉가 피어난다
벽에 부딪혀 백만 개의 꽃잎을 떨군다
손에 닿지 않는 꽃을 위해
목이 꺾인 음표 한 다발이 가시를 내민다
사랑은 시작하기도 전에 슬프고

살아보기 전에 무덤이다

거울 속에서 머물다 나선 길

자작나무 이파리 백만 송이 눈꽃을 털어낸다

나는 점점 소년으로 늙어간다

교차

안내하는 문처럼 나무가 서 있다. 수많은 눈동자를 저 숲에 넣어두고, 생각날 때마다 밝아지는 소리에 숲을 당긴다.

어깨에서 흘러내리는 가방은 흘러내리게. 입술을 포갤 때 여자의 두 발이 살짝 들린다.

벤치 옆의 또 다른 벤치에서 지난 시간을 짚고 막 일어서려는 사람. 애초에 일어서려던 것처럼. 보지 않고도 다 보아버린 것처럼.

그들의 영역은 아무나 알 수 있게. 시간은 둥근 테두리 안에서 흐르고. 오래전 벤치는 재빨리 기억을 지운다. 자리는 그만큼의 시간으로 비켜서고.

잊고 있던 몸을 깨닫고, 오래전 벤치가 막 일어선다. 어두운 숲이 당겨졌다 풀릴 때 벤치의 시간이 제각각 통과한다.

제
3
부

관통

담쟁이 넝쿨이 외벽을 올라탄다 전속력으로 밀려오는 바람에 뒤돌아보지 않고 필사적으로 매달려 펄럭인다 뒤돌아보다 상체가 젖혀진 것들 횡단하던 리듬을 잃는다 가랑이가 차창 불빛을 머리부터 잘라 먹는다 불빛이 박혀들 때마다 이파리들, 물방울 털어내는 고양이처럼 몸서리친다 질주하던 불안이 빠르게 미끄러진다 저만치 새어나오는 불빛이 초점을 흐린다 천장 불빛이 꼬리를 흔들며 흩어진다 전속력으로 달려온 불빛이 신음 소리를 낸다 어둠을 들이박는다 먹먹한 경적 소리 터널을 휘젓는다 담쟁이 넝쿨 한쪽이 도로 한가운데 떨어져 있다

바깥의 표정

얼굴 속에서 무슨 일이 벌어지고 있나
표정은 표정 속에서 엷어지고
가면을 갖지 못한 두 눈이 붉어진다

가면을 가면으로 마주해야 하는 세상
눈동자가 어둠 속을 떠다닌다
숨기고 싶어 또 하나의 얼굴을 만들고
들킬까봐 하나뿐인 얼굴을 가린다

어깨 위로 떨어질 것 같은 커다란 얼굴
불안한 노래가 뜨거운 입김으로 공명한다

새장 속의 노래를 놓아주기 위해
절망에게 열쇠를 맡긴다

아일랜드 숲속처럼 외롭고 바깥은
커다란 가면 같은 절벽이어서

우리는 숲을 두고 떠나지 않는다

낯선 가죽이 살갗으로 번지는 시간
세상과 마주한 야생이 달려들거나 도망친다
아일랜드 숲속에서
노래는 점점 야생의 울음을 닮아간다

무표정으로 가장한 얼굴 속에서
노래가 수많은 표정을 짓는다

노동

진창길 걸어온 양말이
딱딱한 허공을 끼워 신는다
찬바람이 옷자락마다 서리조각을 꽂아 넣고
마당에 성긴 눈을 훑고 간다
텅텅 목어처럼 얼어붙는 소맷자락들
닿지 않는 지면을 향해 팔을 늘이고 있다
올올마다 들이찬 먼지를 씻어낼 때만 해도
강추위가 오래가리라 짐작 못했다
구들에 언 잔등을 녹이며
쉬 마르지 않는 빨래들 아래
일손도 얼어붙은 한파를 걱정한다
황태 같은 작업복 가방에 넣고
체감온도로 달궈진 검붉은 얼굴이
이른 새벽 대문을 나선다
저 멀리 성에 낀 창을
푸른 입김으로 둥글게 녹여내고 있을 용역사무실
인적 없는 눈길 위에

빨랫줄 같은 발자국 길게 이어진다

개그맨의 죽음

 붕대는 주걱턱을, 마지막 입술을 단단히 붙들어 매고 있다 오전이든 오후든 11시 50분은 소파의 시간이고 책상의 시간이다 경적이 문득 현실을 일깨우는 한밤이다 11시 50분은 생몰(生沒)의 괄호 속 시간이고, 괄호 밖 시간이 손목을 이끌고 무표정으로 문 밖을 나선다 이제 방 안에는 시간 대신 시계만 있다 그도 고흐처럼 붕대를 감았다 고흐는 캔버스의 시선을 찢기 위해, 그는 흘러내리는 아래턱을 신념으로 그러쥐기 위해, 머리에서 턱으로 붕대를 감았다 침대와 한 몸이 되었다 달라붙은 이불 좀 떼어줘, 벗어놓은 가발을 움켜쥔다 정말 오래 기다리셨습니다, 움켜쥐던 오른손이 스르르 풀린다 시간을 놓친다 몸이 되어가던 하얀 이불이 방문객의 발등을 덮는다 한 아이가 놀란 얼굴 위로 움켜진 커튼을 친다 이제 어둠이 커튼 사이로 턱을 세운다 마그네슘 플래시를 터뜨리는 순간, 사각턱이 액자가 된다

조명 점술가

바닥에서 빛이 뻗어 나온다 여인은 조명 위에 합성처럼 앉아 있다 주위로 사과궤짝이 놓이고 오래된 노트가 펼쳐 진다 지나는 사람들은 빈 페이지같이 표정이 없다 이따금 여인은 빛의 방석에 앉아 손짓을 한다 그때마다 불빛이 소맷자락의 풀린 올들을 비춘다 손 내밀면 깔고 앉은 불빛이 순식간에 솟아올라, 일생을 통과할 것만 같다 사람아, 몸을 입어 마음이 시리구나 빔 속으로 잠깐씩 드러났다 사라지는 세계들, 길흉이 불시착한다

바닥 조명이 활주로처럼 북촌길 따라 걷는다 매일 똑같은 자리에 앉아 있던 여인 대신 오늘은 사과궤짝만 손님을 기다린다 어디로 간 것일까, 어쩌면 빛에게 자리를 내어줬는지 모른다 바람이 바닥 조명 위에 모래알을 쌀알처럼 뿌리고 간다 흩뿌려진 알갱이들, 점점이 괘를 이룬다 은행잎도 한 계절을 다하고 잎맥을 내민다 누군가 밟고 간 자국을 읽느라 빛기둥이 더 세차게 솟아오른다 불편한 도시의 손금들이 붐빈다

고시원

전등이 낡고 닳은 세간살이를 읽는다 막다른 길에 주저
앉았다 겨우 몸만 흘러든 이곳에, 어두컴컴한 낭하가 익숙
한 시력을 밝혀 나갈 때 하나둘씩 살림살이가 늘었다 집 속
에 절박한 집들을 거느린 곳, 저녁 무렵이면 하나둘씩 흘러
들어 한 지붕 아래 포개지는 집, 아이들 소리가 새는 방과
밥 익는 냄새가 깨우는 아침을 꿈꾸며 등 시린 잠을 청한다

쉽지 않은 잠을 재우는 건 노역인가 낮게 흐느끼는 이미
자가 새어 나오는 옆방은 외아들 병치레로 집도 아내도 다
쓸려 보냈다는 김 노인의 방이다 반 평 공간에 꽉 찬 불빛
보다 환한 상처가 발 한번 제대로 뻗어보지 못하고 살아온
새우등에 걸리는 밤, 유서처럼 잘 정돈된 방을 또 훔쳐낸다
낮 동안의 거친 막노동에 모래알만 따라와 손끝으로 꾹꾹
찍어 훔쳐내고 있다 내일도 손끝에 선명히 찍어내야 할 모
래알 끝나지 않은 노역

한 방이 비워지면 감쪽같이 흘러드는 빈 몸들, 나고 들고

그 속에 오늘도 남긴 사람은 말 못할 빗장 굳게 걸어 잠그
고 가벼운 작별 인사 건넬 줄 안다 등 시린 새우잠 끌어안
고 꾹꾹 모래알 삼켜내며 오롯이 밝히는 밤을 안다

발굴

집이 폭탄에 무너지고 하나뿐인 형을 잃었다 그 길로 견고한 밀림으로 숨어들었다 나뭇가지가 스윙도어처럼 출구를 삼켰다 낮과 밤의 유일한 시간마저 어두워졌다

염소를 만들어서 염소를 잡아먹는다 식탁을 만들어서 모닥불을 지핀다 그 많던 들고양이가 어디에서 죽는지 알 것 같다

간섭하지 말라며 경계색이 신호를 보낸다 독화살개구리의 경계색을 화살촉에 바른다 표적은 번번이 빗나간다

말이 튀어나오자마자 짐승의 울음소리가 삼켜버린다 몸에서 자라나는 것들이 구부러지기 시작한다

사람들이 정글도로 길을 내기 시작한다 발가벗은 몸을 발굴해서 밀림 밖에 세워놓는다 사람들이 웃는다 처음 보는 웃음이다

세상은 여전히 불타고 죽은 형은 계속 죽고 있다

갱스터

멀리 달아난 오른손이 왼손을 모른다 눈물 문신 하나를
새겨 넣을 때 누군가는 가슴을 쥐고 쓰러진다

울어줄 수 있어도 대신 죽을 수는 없다 또 하나의 얼굴이
생겨날 때 가면이 된다면 그것도 가면의 일생, 평생 벗지
않는 얼굴도 있다

새기지 않는 것은 지워지는 것이다 눈물 문신이 거울을
바라보는 애도의 방식, 오른손은 서랍의 권총을 꺼내든다

땅속에서야 지울 수 있을까 아니면 또 하나의 눈물을 새
겨 넣게 될까 그사이 더욱더 완벽한 죽음이 피어난다

애도의 농담과 진담으로 종이꽃을 던질 때, 오른손도 멀
리 달아났다 되돌아온다

눈물 한가운데 맺힌 눈물 문신, 방울져 흘러내릴 때까지

멈추지 않을 것이다

　지울 수 없는 밤이다 오른손이 방아쇠를 당기고 왼손은
가만히 눈꺼풀을 쓸어내린다

말론

한 번은 낮이 길어지고 또 한 번은 밤이 길어진다.
그때마다 체념은 계속해서 반복된다.
—베르너 슈나이더

컬러드* 말론은 포도농장에서 일하고
포도는 와인용으로 팔려나간다
컬러드는 값싼 술로 알코올 중독자가 되어가고
흰빛과 검은빛이 아니면 그냥 색깔일 뿐
오랫동안 색깔은 대비되고 배치되어 왔다
검은 포도를 짓이기면 감출 수 없는 자줏빛
흰빛이 피를 나눠 마시는 화려한 식탁
색깔은 오래된 알코올처럼 달콤하고 견고하다

밤과 낮 사이로 떠오르는 붉은 태양
흰빛이 깃발을 꽂고 채찍을 휘둘러도
검은빛이 깃발을 꽂고 채찍을 거두어도
말론에겐 아무 상관이 없고

컬러드는 컬러드일 뿐
싱싱한 포도를 식탁으로 거둬들이지 못하고
아무리 뛰어올라도 세모꼴 계층도가 정수리를 찧고
태양 아래 카니발은 위안의 방식
더 유쾌해질 수 없어 중독자가 되어간다

밤과 낮, 낮과 밤이 섞이는
불순한 새벽과 저물녘, 더욱 짙어지는 그림자
오래된 컬러드 속에
다른 색깔을 알아버린 말론은 조금 불행하다
포도 농장을 뛰쳐나가
난생 처음 거대한 분포도 속에 붉은 점으로 박힐 때
더 이상 노래하고 춤추지 않는다
말론의 식탁을 찾은 엄마는 말이 없고
분포도 속 붉은 점 몇 개가 위태롭게 깜박거린다

---

* 남아공에서 서로 다른 인종의 부모에게서 태어난 혼혈인.

함정

두 발이 네 발을 이고 간다
얼굴 없는 손가락이 겨우 탁자 끝을 붙잡고
나는 조금씩 옮겨가고 있다
탁자 위로 먼지와 햇살이 미끄러지고
자주 앞발이 들린다
거대한 앞니를 벌리고 나오려는 것처럼
어미 개를 업고 가는 것처럼
두 발이 네 발을 이고 간다

쓸모없는 탁자를 가장 쓸모없는 사람에게 전해주려고요,
탁자를 끌어안고 타오를 수 없기 때문이다

두 발이 네 발을 이고 간다
모래먼지와 돌멩이를 먹어치우고
탁자가 점점 무거워진다
두 발이 네 발을 짚고 일어설 때마다 꺾이는 무릎
더 많은 발로도 옮길 수 없는 무게가 젖혀진다

망토처럼 공중으로 떠오르는 네 발
기둥 사이로 모래바람이 들이친다

탁자 아래 구덩이를 파서 내려간다
탁자에서 걸어나온 그림자가
기둥을 잡고 쿵쿵 나를 내리친다
사라진 방향

네 발이 두 발을 끌고 왔다
마음을 가슴팍이라고 부르면 더욱 가파른 땅속
바닥을 받친다
탁자 밑으로만 흘러온 길
네 개의 기둥 위로 구름이 내려앉는다

스트리커

달린다 달리면서 가린다 잘 정돈된 잔디와 배열에 금이
간다 지구촌 시대에 알맞게…… 제복이 달려온다 알몸을
둘러서고 알몸의 알몸을 가리는 모자

공기는 한 방향으로 흐르고 지루한 말씀을 깨뜨리자, 똑
같은 시선을 둘로 갈라놓자, 오랫동안 꿈꿔온 자세를 이제
야 깨닫는다

수많은 눈동자 속으로 달리고 쫓는 사람이 있어 달린다
이 무료한 시간에 슬쩍 알몸을 밀어넣는다 대기 속에 잠자
던 표정이 깨어난다

카메라가 알몸을 피해 다닌다 뛰어들어도 이제 보이지
않는다 지구촌 시대에 알맞게

가린다 가리면서 달린다 웃통을 벗어 들고 사람들이 환
호한다 카메라가 빈 공간을 찾아 숨는다 내부를 이해하는

풍선이 잔디를 밟고 떠오른다

정글짐

더 이상 낙서는 벽을 타고 오르지 않아요

훌쩍 커버린 아이들을 위해 도배를 했어요

넝쿨로 뻗어나간 낙서들 덧발라진 벽지 속에서 시들어
가겠죠

안과 밖의 신열에 들떠 낙서 위에 눈물이 맺히기도 하겠
죠

쭈글쭈글한 젖가슴에 살이 오르고

엄마는 할머니였다가 다시 엄마가 되어요

평생 뜯어낼 일 없는 건물이 때론 조립식으로 지어지기
도 해요

빼곡히 들어선 아이들

조립식 뼈마디가 조금씩 어긋나기 시작해요

균열 가지 않는 조립식은 통째로 삭아가요

햇살에 눈 찔린 채 마당을 달리고

문고리도 창턱도 오르기 위한 발판일 뿐이에요

아이들은 제 홀로 칭얼거리다 멎는 법을 배워요

넝쿨로 뻗어나간 그리움이 건물을 휘감고

방 안에 어둠이 찾아와요
창문에 맺힌 이파리가 파닥거리며 꿈속으로 들어가요
밤마다 아이들이 넝쿨을 타고 길 끝에 다녀오곤 해요
한번 흘러나간 길은 왜 돌아오지 않는 건가요,
벽에서 떼어낸 낙서가
아이들 가슴에 치렁치렁 넝쿨을 키워요

어둠을 이해하는 방식

　어색함을 흩뜨려놓기 위해 의문을 품지 않은 질문을 툭 던진다 당신 귀를 스친 물음표 하나가 탁자 아래로 힘없이 떨어져 내린다 어둠에 잠긴 물음표가 더 큰 그림자를 물고 따라 올라온다

　―내 귀에 더 이상 어둠을 쏟아붓지 마세요

　어둠으로 찰랑거리는 귓바퀴 더 이상 들리지 않고, 커다란 입을 가진 당신 앞에 너울에 휘어지는 이파리처럼 휩쓸린다

　내가 겪은 아픔보다 더 큰 불행을 귓속에 쏟아붓고 당신은 편안해지고, 더 큰 목젖을 보여준다 난 자맥질이 서툰 무거운 입일 뿐인데, 더 깊은 어둠의 수위로 데려간다

　―이제 당신의 얘기도 들려주세요

　숨 가쁜 내 얘기가 간신히 떠오르고, 질문을 품지 않은 의문으로 또다시 자리가 가라앉는다 당신은 이미 알아차린 듯 내 입만 탁자 위에 남겨 두고 카페를 나선다

　아직도 당신 목소리가 바닥을 적신다 귀를 틀어막은 건지, 귀 기울인 건지 모르게 이어폰을 꽂는다 어쨌든 들리지

않는 음악이 흐른다

곡예사와 난쟁이와 아이

　난쟁이가 자기보다 작아질 수 있는 곡예사를 소개하고 사라진다

　몸을 뒤로 말아 두 발 사이에 얼굴을 집어넣는다 바닥으로 얼굴이 굴러다닌다 공기를 꺾어 토끼를 만드는 피에로의 풍선처럼, 구겨놓아도 다시 펴지는 용수철처럼, 뒷모습과 앞모습을 함께 펼쳐놓는다 접을 수 없을 만큼 접어 덩어리가 된다

　사라진 난쟁이가 아이의 팔다리를 접어보고 비비고 핥는다 난쟁이는 더 작아질 수 있는 팔다리가 없고 아이가 커갈수록 작아지고

　손이 걷고 발가락이 머리카락을 쓰다듬는다 곡예사의 불가능한 각도를 위해 난쟁이가 달려온다 하나로 이어진 몸을 떼어냈다 붙인다

접을 수 없을 만큼 접어 온 천막처럼 아이의 팔다리를 접
었다 펼쳐놓는다

곡예사의 유일한 자세를 위해, 아이의 팔다리를 위해, 난
쟁이는 자주 나타났다 사라진다

천칭 eye

몸을 떼어내 균형을 깨뜨린다

난간에 올라 양팔을 벌리고 사로잡힌 구름처럼

나는 솟아오르는 중이다

다른 길이 될 때 공중에서 멈춰버렸다

사로잡힌 구름처럼 무게가 없는 쪽으로 기운다

천칭 위에 천칭을 올려놓고 무게를 재고 싶어

지평선을 올리고 나무를 올리고

한쪽으로 기울지 않는 집요한 기억

또다시 눈금이 흔들린다

순간처럼 많은 계단을 펼치고

무게가 떠오른 순간 눈금보다 가볍다

그림자劇

허리에 손을 얹은 그림자가 검은 날개처럼 몸집을 부풀
린다. 두려운 것은 빛을 등지고 나타난다.

주저앉아 물러서다 모서리에 손목이 긁힌다. 살갗을 파
고드는 젖은 모래처럼 발가락이 바닥을 움켜쥔다. 원망과
두려움으로 뒤섞인 눈동자가 그림자를 올려다본다.

함께 그림자놀이 하던 벽에 또 다른 그림자劇이 벌어진
후, 아이들이 하나둘씩 사라졌다.

아이들이 창문으로 뛰어내려 빛과 함께 부서지기 전에,
창문 위에 빗장을 덧댄다. 방 안 가득 풀어놓던 그림자가
문을 잠근다. 방문을 여닫을 때마다 검은 바닥이 한 장씩
떼어진다.

뜯어진 창문으로 커튼이 펄럭인다. 방 안에 빛을 던져 넣
고 한 아이가 부서졌다. 오늘밤 그림자놀이를 하기에 충분

한 빛이다.

맨 온 와이어*

　뼈대 위에 살점이 붙어 있다 바람이 살점을 떼어내려 출렁거린다 하늘에 박힌 과녁이 조금씩 움직인다 발목이 흔들릴 때마다 비명이 솟아오른다 천칭이 정확히 눈금을 재고 기울기를 맞춰놓는다 바람이 발바닥을 간질이며 순간을 갈라놓는다 고개를 젖힌 눈동자들이 한 사내를 단단히 붙들고 있다 시선을 떼어낸 만큼의 낭떠러지, 기울어진 풍경을 바로잡는다 검정칼새가 폭포의 연한 물살을 뚫는다 와이어가 중력과 바람에 맞서 공중을 가로지른다 몸이 한쪽으로 점점 기울어진다 허공이 발목을 낚아챈다 시선 밖으로 사라진 중력, 와이어가 흔들린다 금 간 하늘에서 햇살이 쏟아져 내린다

---

* 맨 온 와이어(Man on wire) : 제임스 마쉬 감독의 다큐.

해설 · 시인의 말

세상이라는 이름의 그림자극(劇)

고봉준(문학평론가)

1

이해존의 시는 언어로 그린 도시적 삶의 음화(陰畵)이다. 오래전 보들레르가 파리의 변두리와 뒷골목을 탐사하여 거대 도시의 화려함과 미소 뒤에 숨겨진, 우리가 문명의 '빛'에 시선을 빼앗긴 상태에서는 결코 볼 수 없는 맹목(盲目)의 그림자를 노래했듯이, 이해존의 시편들은 부조리가 지배하는 이 세계의 풍경을 한 편의 '그림자극(劇)'으로 상연한다. 그의 시는 '빛'이 아닌 '어둠', '사물'이 아닌 '그림자', 세계의 '전면'이 아닌 '이면'의 풍경을 통해 그린 세계의 조감도이다. 이 독특한 발화 방식 때문일까? 그의 시에서 세계의 풍경은 종종 계기적인 연속성을 잃어버리고 불안정한, 파편적인 상태로 우리에게 제시된다. 그의 시가 보여주는 이미지들의 모호한 연쇄는 수락할 수 없는 세계에 관해 이야기하는 방식의 하나이자, 세계의 불투명성에 대한 시적 대응 양식처럼 보인다. 가령 시집을 펼치면 예고 없이 등장하는 '수상한 사과'(「수상한 사과」)나 자동차가 관통하고 지나가는 '터널'(「관통」)의 이미지가 그렇다.

달콤한 것이 오래 멈춰 있어 이상하다 가끔씩 오가는 눈동자는 뒤꿈치를 따라갈 뿐, 사과의 향내가 악취를 가리고도 남다니 이상하다 먼 길을 달렸어도 줄어들지 않는 거리, 나뭇잎이 쌓여간다 바퀴도 모르고 나뭇가지도 모르는 시간, 세상을 이해할 수 없어 통째로 굴러왔다 발목의 먼지를 털어내고 공중의 집으로 숨어든다 지상의 악취가 오르지 못한다 나무껍질에 허벅지가 긁힐 때마다 단단한 근육이 불거진다 나뭇가지 사이로 나무 열매가 잡힌다 갈비뼈 같은 천장으로 햇살이 번진다 방 안으로 점점 차오르던 햇살이 부풀어 오른다 터진다 이상하다 나뭇가지가 투명한 허공을 휘젓는다 나무열매가 앞유리에 으깨어진다 차 안으로 풀어진 몸이 보인다 마지막 단내를 풍기며 탐스럽게 썩어간다

— 「수상한 사과」 전문

이해존의 시에서 이미지는 관념의 구체화라는 상식적인 기능을 벗어나 현실을 탈(脫)구축하는 역할을 수행한다. 그의 시에서 이미지는 즉물적이며, 이 때문에 이미지의 양이 증가할수록 현실의 불투명성 또한 증대된다. 일반적으로 서정시가 일정한 시·공간의 계열을 따라 이미지를 계기적으로 나열하는 것과 달리, 그의 시는 시차사진술(chronophotography)로 촬영한 운동-이미지처럼 사건/장면을 여러 개의 이미지로 쪼갠 다음 그것들을 재조합하여 만든 합성사진처럼 세계를 낯설게 드러낸다. 무수한 점들의 조합을 통해 한 폭의 그림을 완성해 나가는 점묘화법처럼, 이해존의 시에서 한 편의 시는 감정적 반응이 배제된, 즉물적인 느낌의 이미지들이 조합되어 탄생한다. 이때 시인이 사건/장면에서 읽어내는 이미지들은, 한편으로는 세계에 대한 낯선 감각을 초래하고, 또 한편으로는 시인의 개성적인 관찰력, 세계를 다른 각도

에서 조망하려는 시선의 의지를 돋보이게 한다.

'사과'는 왜 수상한가? 이 물음에 선뜻 대답하기는 어렵다. 이 시에는 '이상하다'라는 단어가 세 차례 반복될 뿐, 끝끝내 '사과'가 왜 수상한가에 대한 이야기는 등장하지 않는다. 진술하지 않고 오직 묘사하고 제시함으로써 화자는 이 질문에 대답할 의무를, '수상하다'는 화자의 느낌에 대한 동의 여부를 독자의 몫으로 돌린다. 그런데 시를 읽으면 알 수 있듯이 이 질문에 대답하기 위해서라도 우리는 먼저 시의 사건/장면을 재구성해야 한다. 먼저 몇 개의 시어들, 예를 들면 '앞유리', '차', '멈춰 있어', '바퀴' 등의 단어에 주목해보자. 시인은 이 시에 '수상한 사과'라는 제목을 붙였으나, 이 시는 '자동차'의 이미지를 중심으로 읽어야 한다. 이런 맥락에서 "달콤한 것이 오래 멈춰 있어 이상하다"라는 첫 진술에서 멈춰 있는 것이 달콤한 '사과'가 아니라 '자동차'임을 짐작할 수 있다. '사과'를 실은 자동차가 멈춰 있다. 아니, '사과'가 등장하는 장면을 배경으로 자동차가 정지해 있다. 자동차는 왜, 어떤 방식으로 정지하고 있을까? 그것의 단서는 "나무열매가 앞유리에 으깨어진다 차 안으로 풀어진 몸이 보인다"라는 진술에서 찾을 수 있다. 그리고 "먼 길을 달렸어도 줄어들지 않는 거리", "바퀴도 모르고 나뭇가지도 모르는 시간" 등은 시간의 경과를 암시한다. 사정이 이러하다면 달려야 마땅한 것이 정지해 있는 상태를 가리켜 '이상하다'라고 표현하는 것은 결코 이상하지 않다. 그런데 이 시에서 정작 이상한 느낌을 만들어내는 것은 '자동차'나 '사과' 같은 사물이 아니라 '향내'와 '악취', '단내'와 '썩어감' 같은 이질적인 질감의 시어들이 나란히 등장하는 장면이다.

　　푸른 장막으로 둘러쳐진 둥근 방, 바람의 발톱이 장막을 찍어 흔들어댈수록 방 안은 낮고 아득하게 가라앉는다 고비사막 넘어온 모래바람이 투명한 비닐 창에 붉은 얼룩으로 흘러내린다 울란바토르 외곽의 게르가 옥상에 세워졌다 그가 가죽부대에 담긴 마유주를 건넨다 이 밤이 지나면 그는 새로운 목초지로 떠날 것이다 별들이 무게를 견디지 못하고 밤의 푸른 정맥을 긋는 날이다 두려우면 하지 말고 했으면 두려워 마라 멀리 모래바람이 사나운 말처럼 갈기를 세우고 있다 말고삐 당기던 초원이 점점 멀어져가고 펄럭이는 장막은 두 평의 하늘로 어두워진다 양떼 같은 가족의 눈망울들 낮은 천장에 촘촘히 박히는 밤, 식탁 한가운데 대초원을 사이에 두고 엎드려 잠든 몽골 사내 한쪽 어깨가 끝끝내 중심을 버틴다 고시원 휴게실이 조금씩 서쪽으로 기울어 가고 있다

— 「유목의 방」 전문

이질적인 세계를 겹쳐놓는 공간적 몽타주 또한 세계를 탈(脫)구축하는 방법의 하나이다. 「수상한 사과」에서 '향내'와 '악취', '단내'와 '썩어감'이라는 상반된 이미지의 병치가 세계의 불투명성을 증가시키는 효과를 가져왔듯이, 이 시에서는 '유목'이라는 이름하에 행해지는 '고비사막-울란바토르-몽골'이라는 이국 표상과 '옥상-고시원 휴게실'이라는 가난 표상의 결합이 일상적 공간을 낯설게 만든다. 여기에서 '몽골 사내'와 그가 머물고 있는 고시원 옥상의 휴게실은 대표적인 주변적 세계이다. 시인은 '몽골'이라는 대초원의 세계와 '고시원'이라는 주변적 세계를 겹쳐놓음으로써 지금-이곳에서의 '유목'이 유동적인 삶의 불안정성 이상일 수 없음을 보여준다. 불안정한 세계로서의 고시원은 '공간'일 뿐 '장소'가 되지 못한다. 그것은 견고한 '벽'으로 만들어질 때조차 자신을 타인과 분리시키는 배제의 장막일 뿐 한 인간의 영혼이 안정적으로 머무를 수 있는 '방'이 되지 못한다. 그런 한에서 "이제 모서리가 필요하

다"(「벽」)라는 진술은 '몽골 사내'는 물론 이해존의 시에 등장하는 인물들에게 공통적으로 필요한 것이다.

2

이해존의 시에서 '가난'과 '삶'은 동의어이다. '삶'이라고 쓰고 '가난'이라고 읽어도 좋고, '세상'은 대개 출구 없는 미로, '어둠'과 '죽음'이 지배하는 '함정'(「함정」)이라도 불러도 이상할 것이 없다. '유목의 방=고시원', '터널', '정글짐', '벽', '터널', '단절' 등처럼 이해존의 시에서 공간이나 장소와 연결되는 시어의 대부분은 끝을 가늠하기 어려운 추락/몰락의 이미지와 연결된다. 그의 시에서 세계는 그 자체로 거대한 퇴적공간이 되어간다. 이 세계에서 '가난'은 예외적인 개인의 불행이라기보다는 한 시대가 앓고 있는 질병처럼 그려지며, 그들의 삶을 짓누르고 있는 방향 상실과 불안의 정서로 인해 그것에서 벗어날 수 있는 출구는 어디에서도 없다. 이해존의 시편들을 반복해서 읽으면 드러나듯이 그의 시에서 '개인적인 것'과 '사회적인 것'의 경계는 상당히 느슨하다. 이것은 그의 시가 공유할 수 없는 한 개인의 체험이나 내면을 그리는 데 머물지 않고, 그것을 사회나 시대의 경험으로 확장함으로써 궁극적으로는 현대사회의 단면을 제시하기에 나타나는 특징이다.

1

햇살은 오래전부터 내 몸을 기어다녔다 문 걸어 잠근 며칠, 산이 가까워 지네가 나온다고 집주인이 약을 치고 갔다 씽크대 구멍도 막아놓았다 네모를 그려놓은 곳에 약 냄새 진동하는 방문이 있다 타오르는 동심원을 통과하

116

는 차력사처럼 냄새의 불똥을 넘는다 어둠 속의 지네 한 마리, 조정 경기처럼 방바닥을 저어간다 오늘은 평일인데 나는 百足으로도 밖을 나서지 않는다

    2

   산이 슬퍼 보일 때가 있다 희끗한 뼈마디를 드러낸 절개지, 자귀나무는 뿌리로 낭떠러지를 버틴다 앞발이 잘리고도 언제 다시 발톱을 세울지 몰라 사람들이 그물로 가둬놓았다 아물지 않은 상처가 곪아가는지 파헤쳐진 흙점에서 벌레가 기어나온다 바람이 신음 소리 뱉어낼 때마다 마른 피 같은 황토가 쏟아져 내린다 무릎 꺾인 사자처럼 그물 찢으며 포효한다

    3

   저마다 지붕을 내다 넌다 한때 담수의 흔적을 기억하는 산속의 염전, 소금꽃을 피운다 옷가지와 이불이 만장처럼 펄럭이며 한때 이곳이 물바다였음을 알린다 흘러내리지 못한 빗줄기를 받아내는 그릇들, 부글부글 끓어올랐다 방 안에 고인 물을 양동이로 퍼낼 때 땀방울이 빗물에 섞였다 오랫동안 산속에 갇혀 있던 바다가 제 흔적을 짜디짠 결정으로 남긴다 장마 끝 폭염이다 살리나스처럼 계단을 이룬 집들을 지나 더 올라서면 산봉우리다 계단 끝에 내다 넌 내 몸 위로 햇살이 기어다닌다

—「녹번동」전문

화자가 거주하고 있는 곳은 "살리나스처럼 계단을 이룬 집들을 지나 더 올라서면" 나타나는 녹번동의 '산봉우리'이다. 이곳 사람들은 "장마 끝 폭염"이 시작되면 '소금꽃'이 핀 "옷가지와 이불"을 '만장(挽章)'처럼

내다 건다. 미처 흘러내리지 못한 빗줄기를 '그릇'으로 받아내야 하고, 그것으로도 부족하여 "방 안에 고인 물을 양동이로 퍼"내야 하기 때문이다. '녹번동'은 "희끗한 뼈마디를 드러낸 절개지"가 있고, "자작나무는 뿌리로 낭떠러지를 버"티고 있으며, 파헤쳐진 흙에서는 끊임없이 '벌레'가 기어 나오고, 바람이 지날 때마다 "마른 피 같은 황토가 쏟아져 내"리는 곳이다. 화자는 그곳에서 "문 걸어 잠근 며칠"이라는 표현이 암시하듯이 '세상'과 단절된 채로 살고 있다. 이곳에서는 '햇살'조차 화자의 몸 위를 기어 다니는데, 그것은 때를 가리지 않고 출몰하는 '지네' 때문이기도 하고, 최후에 널어야 할 '만장'이 자신의 몸이기 때문이기도 하다. 그런 곳에서 화자는 어둠을 배경으로 '지네' 한 마리가 "조정 경기처럼 방바닥을 저어"가는 모습을 관찰하고 있다. "오늘은 평일인데 나는 백 족(百足)으로도 밖을 나서지 않는다"라는 진술처럼 화자에게는 딱히 나가야 할, 도달해야 할 '밖'이 없다. 가난한 사람들이 제일 먼저 경험하는 것은 세상 또는 인간과의 단절이다. 세상은 그들을 찾지 않으며, 따라서 그들 또한 나가야 할 '밖'을 잃어버리게 된다. 가난한 삶을 그린 이해 존의 시들이 대개 '방'이라는 제한적인 공간에 집중하는 까닭도 이와 무관하지 않은 듯하다.

제기동 134-6번지는 난청 지역이다 내 키만 한 곳에 창을 단 골목을 지나 주인집 대문을 열면, 또 다른 골목으로 창을 낸 내 방으로 통한다 사방 처마가 전깃줄을 끌어내려 밑동을 땅에 묻지 않아도 넘어지지 않을 것 같은 전봇대, 그 어지러운 전깃줄의 수혈이 아니고는 이곳은 난청이다

—「이곳은 난청이다」부분

"제기동 134-6번지"의 경우도 사정이 다르지 않다. 골목이 또 다른 골목으로 이어지고, 키 높이 정도에 '창'이 달린 곳, 사방 처마에 전깃줄이 빼곡하게 달려 있어 전봇대의 밑동을 땅에 묻지 않아도 쓰러지지 않을 것 같은 동네, 그리하여 "어지러운 전깃줄의 수혈"이 없으면 바깥세상과의 소통이 불가능한 곳. 화자는 그곳을 "난청 지역"이라고 명명하고 있다. 여기에서 '난청'은 외부 세계와 연결이 끊어진 것, 즉 고립 상태를 의미하며, 이때의 고립은 전파의 문제가 아니라 사회적인 문제, 즉 가난으로 인한 소외의 문제이다. 생각해보라. "전깃줄의 수혈"이 없다면 외부와의 소통이 불가능하다는 말은 결국 외부와의 소통이 오직 "전깃줄의 수혈"에 의해서만 가능하다는 것, 그것 이외에는 결코 바깥 세계와 연결되지 않는다는 의미이기도 하다. 3연에 등장하는 "누군가의 안부를 떠올렸다 지운다 깡마른 안테나처럼 방 안에 누워 스스로를 수신하며 뒤척인다"라는 진술은 이러한 고립이 한편으로는 자의에 의한 것이지만, 다른 한편으로는 '가난'이라는 현실적인 조건 때문에 발생한 것임을 암시한다. 이 "난청 지역"에서는 할 수 있는 것, 우리가 '행동'이라고 부를 만한 것이 행해지지 않는다. '안테나'를 닮아가는 화자에게는 오직 "스스로를 수신"하는 것만이 가능하다. 이해존의 시에는 이처럼 자신 이외의 그 누구와도 연결되지 못하는 상태에 놓인 화자의 고독감을 마치 자신과의 '관계'처럼 표현하는 장면들이 반복적으로 등장한다. 구멍 난 주머니에 손을 넣어 자신의 살을 더듬는 「옆구리」의 화자("구멍 난 주머니 속으로 따뜻한 내 살을 만져본다"), 자신이 앉아 있던 의자를 바라보면서 '존재/부재'의 혼란을 경험하는 「방향」의 화자("하루 종일 앉아 있던 의자를 바라본다 내가 앉아 있지 않은 내 모습이 보인다"), "집 속에 절박한 집들"이 존재하는 고시원에서 "등 시린 새우잠 끌어안고" 불면의 밤을 보내는 「고시원」의 화자("등 시린 새우잠 끌어안고 꾹꾹 모래알 삼켜내며 오

119

롯이 밝히는 밤을 안다") 등은 오직 자신과의 관계만 존재하는, "내 안으로 숨어드는 습관적인 자세"(「구피가 되어가는 남자」)의 소유자들이다. 타인이 존재하지 않는, 외부세계와 단절되어 사실상 유폐된 채로 살아가는 이들에게는 현재 머물고 있는 공간이 존재감을 확인할 수 있는 '장소'로 경험되지 않는다.

> 식탁과 티비가 시선을 주고받네요 밥을 넘기고 고개를 돌리고 누군가 옆에 있는 것처럼 나도 가끔씩 조잘거리고, 늦은 저녁밥을 먹어요 비스듬히 티비를 보고 벽을 보아요 골똘히 얼룩을 바라보면 얼굴과 닮았다는 생각, 모든 얼룩에서 얼굴을 찾아요 오늘은 이목구비가 깊어져 표정을 짓네요 숟가락이 내 몸을 다 떠낼 때까지 티비를 켜요 관객이 웃고 미혼모가 울고 툰드라의 순록이 뛰어다니고, 이야기가 밥알처럼 흘러내려요 지금은 사실과 농담이 필요한 식사 시간이에요 식탁에 앉아 티비와 인사해요 세상으로부터 허구가 되어가는 아주 경건한 시간이에요
>
> ─「경건한 식사」 전문

화자는 지금 "식탁과 티비가 시선을 주고받는" 장면을 배경으로 '늦은 저녁밥'을 먹는다. 그는 이 저녁밥을 가리켜 '경건한 식사'라고 부른다. 그런데 흥미롭게도 이 장면에서 화자 '나'의 등장순서는 '식탁'과 '티비'에 이어 세 번째이다. 혼자 늦은 저녁밥을 먹는 화자에게 '티비' 속의 세계는 그가 경험할 수 있는 유일한 타자의 세계이다. 그것은 가족이고, 식구이고, '나' 이외의 존재이다. 이런 늦은 저녁밥이 익숙한 듯 화자는 "누군가 옆에 있는 것처럼" 조잘거리면서 밥을 먹는다. '티비' 안에서는 관객이 웃고, 미혼모가 울고, 툰드라의 순록이 뛰어다닌다. 하지만

'티비'와 정면으로 시선을 주고받는 것은 '식탁'이지 '나'가 아니다. '나'는 "비스듬히 티비를 보고 벽을" 본다. 어쩌면 이 '비스듬히'라는 각도야말로 세상에서 화자가 차지하고 있는 존재감의 표현일지도 모른다. '나'는 점점 "세상으로부터 허구가 되어"간다. '허구'란 무엇일까? 그것은 사실이 아닌 것, 존재 자체가 불확실한 상태일 것이다. 여기서의 '허구'가 '세상으로부터'의 허구라는 사실에 주의하자.

이해존의 시에서 화자의 거처인 '방'은 '집=공간'일 뿐 한 인간의 내면에 심리적인 안정감과 지속성을 제공해주는 '장소'가 아니다. '장소'는 안정과 영속의 이미지이다. 그것은 친숙한 환경이자 안식처이다. 인간답다는 것은 의미 있는 장소를 가지고 있다는 의미이기도 하다. 철학자 하이데거라면 '장소'는 인간 실존이 외부와 맺는 유대를 드러내는 동시에 인간의 자유와 실재성의 깊이를 확인하는 방식으로 인간을 위치시키는 곳이라고 주장했을 것이다. "한 장소에 뿌리를 내린다는 것은 세상을 내다보는 안전지대를 가지는 것"이고, 그런 한에서 '장소'는 "뿌리가 있고, 안전과 안정의 중심이며, 보살핌과 관심의 장, 무엇을 지향할 때 출발점"(에드워드 렐프)이다. 하지만 이해존의 시에 등장하는 공간들—녹번동, 제기동 134-6번지, 고시원 등—에서는 이러한 '장소'의 느낌, 화자의 존재 자체가 보호되고 있다는 것이 전혀 느껴지지 않는다. 오히려 모든 공간은 "한 방이 비워지면 감쪽같이 흘러드는 빈 몸들"(「고시원」)이라는 표현처럼 조만간 다른 곳으로 이동할 준비를 갖추고 살아야 하는 임시적이고 유동적인 공간, 경제적인 형편에 따라 강요된 선택일 뿐 '장소'에 대한 애정은 찾아볼 수 없는 물리적 공간으로 그려질 뿐이다. 이는 「세입자」에 등장하는 공간의 경우도 마찬가지이다. 이 시의 화자는 전화를 끊자마자 달려온 집주인(그)에게 "젖은 손으로 불려와/

머리카락에서 떨어지는 물방울"을 참으며 "이번이 마지막이라는 말"을 듣고 있다. 이 '마지막'이 진짜 마지막이 될 때, 그는 또 다시 '방'을 찾아 나설 것이다.

3

'장소'가 없다는 것은 세계 안에 편안하게 머물 수 있는 거처가 없다는 것이며, 편안하게 머물 수 있는 거처가 없다는 것은 거대한 공간이 존재할 뿐 그것이 '세계'로 경험되지 않는다는 것이다. 그럼에도 불구하고 '세계'가 존재한다고 말한다면, 그때의 '세계'는 한 개인의 실존을 포위하고 있는 억압적인 힘이나 개인의 내면과 갈등 관계에 있는 불화 상태를 가리키는 것일 수밖에 없다. 우리는 이미 '방'으로 대표되는 거주 공간이 시인에게 어떻게 경험되고 있는지 살폈다. 이제 거주 공간의 바깥에 관해 살펴볼 차례이다. 이해존의 시에서 '방/집'의 바깥은 어떻게 형상화되고 있는가? 가장 먼저 마주치게 되는 것은 그곳이 고단한 노동의 세계로 그려지는 장면이다.

> 계단보다 많은 발이 뗀다
> 외투를 의자에 걸치거나 현관에서 양말을 벗는 문에서 문으로
>
> 넷째 주마다 캐터필러가 달려온다
> 불도저가 길을 펼치고 길을 떼어가는 캐터필러에 올라 런닝머신처럼 달린다
> 발바닥이 길게 흘러가다 코가 깨진다

122

떨어진 꽃잎이 캐터필러 속으로 빨려들어 간다

에스컬레이터가 달아난다
맨 위층에서 접힌 시간이 오늘 아침 첫 층계참으로 이어진다
하나씩 모서리를 펼치며 에스컬레이터가 시간을 뱉어낸다

사라진 시간이 에스컬레이터 뒷면의 어둠 속에 거꾸로 매달려 있다
넷째 주마다 첫 층계참에서 거꾸로 매달린 몸을 털고 또다시 얼굴을 내민
다

가쁜 숨을 몰아쉬는 아침, 발끝으로 사람들을 끌어올리는 무한궤도
숨을 들이쉬고 저녁에는 땅속으로 뱉어낸다

두 그루 나무가 이어진 곳, 문에서 문으로 나무뿌리가 뻗친 곳까지
겉옷을 걸치고 횡설수설을 지나 구두를 벗는다
가지를 흔들어 나뭇잎을 끌어 덮는다

연결통로에서 연결통로로
외투와 계단, 침대가 무한궤도를 따라 철컥철컥 돌아간다

—「데드라인」 전문

이해존의 시에서 '방/집'의 바깥은 노동의 세계이다. 그곳에는 "계단
보다 많은 발"이 뛰는 분주한 풍경, "문에서 문으로" 이동하는 출근 장
면으로 존재한다. 화자에게 노동은 "넷째 주마다 캐터필러가 달려"오는

123

느낌이다. 캐터필러란 무한궤도(caterpillar)를 뜻하는 것이니, 화자는 매달 반복되는 자신의 노동을 가리켜 "불도저가 길을 펼치고 길을 떼어가는 캐터필러에 올라 런닝 머신처럼" 달리는 것이라고 말하고 있다. 시인은 오랫동안 출판편집자로 일하고 있다. 이 때문에 그의 시에서 '노동'은 대부분 출판과 관련된다. "전지(全紙)에 번진 잉크처럼 비구름이 떠 있다"(「프린팅 빌리지」)라는 인상적인 진술처럼 그의 시편들에는 드물지 않게 출판편집자의 감각이 투영되어 있다. 편집자, 특히 잡지편집자에게 "넷째 주마다" 규칙적으로 찾아오는 캐터필러란 곧 잡지 마감을 의미하는 것이니, '데드라인'이라는 표제는 그 마감기한인 동시에 한 달에 한 번씩 직면하게 되는 삶과 죽음의 경계선일 것이다. 노동자의 일상은 그 선을 무사히 넘음으로써 한 달 치의 생존권이 보장되는 삶이다. 작품의 중간 부분에서 시인은 이러한 시간의 무한반복을 '에스컬레이터'의 움직임에 비유하고 있다. 노동의 시간 경험을 나타내는 이 비유에서 '시간'은 "맨 위층에서 접힌 시간"이 "오늘 아침 첫 층계참으로 이어"지고, "사라진 시간이 에스컬레이터 뒷면의 어둠 속에 거꾸로 매달려 있다"가 넷째 주마다 "거꾸로 매달린 몸을 털고 또다시 얼굴을 내"미는 동일성의 무한반복으로 경험된다. 그리고 "매일 기다리기 위해 같은 배열로 선다"(「공평한 어둠」), "똑같은 것에 익숙해진 시간"(「사이안」), "탁상 달력은 열두 장을 돌아 처음 그 자리다"(「안락한 변화」)처럼 규칙적으로 반복되는 리듬을 통해 한 인간은 직장인의 시간 감각을 체득하게 된다.

달린다 달리면서 가린다 잘 정돈된 잔디와 배열에 금이 간다 지구촌 시대에 알맞게… 제복이 달려온다 알몸을 둘러서고 알몸의 알몸을 가리는 모자

공기는 한 방향으로 흐르고 지루한 말씀을 깨뜨리자, 똑같은 시선을 둘로
갈라놓자. 노랫동안 꿈꿔온 자세를 이제야 깨닫는다

수많은 눈동자 속으로 달리고 쫓는 사람이 있어 달린다 이 무료한 시간에
슬쩍 알몸을 밀어넣는다 대기 속에 잠자던 표정이 깨어난다

카메라가 알몸을 피해 다닌다 뛰어들어도 이제 보이지 않는다 지구촌 시
대에 알맞게

가린다 가리면서 달린다 웃통을 벗어 들고 사람들이 환호한다 카메라가
빈 공간을 찾아 숨는다 내부를 이해하는 풍선이 잔디를 밟고 떠오른다
— 「스트리커」 전문

이해존에게 '시'는 반복되는 동일성의 시간에 균열이 생기는 순간에
시작된다. 그의 시는 동일한 것처럼 보이던 대상에서 "붉은 벽돌 하나
하나가 다르고/움직이지 않는 어제의 거울이 오늘 다르다"(「사이안」)처
럼 '차이'가 드러날 때 시작된다. 그런 까닭에 그에게 '노동'과 '시'는 대
극(對極) 관계이다. 왜냐하면 '노동'은 동일한 것이 무한반복되는 세계
인 반면, '시'는 그것이 균열로부터 시작되는 세계이기 때문이다. 그런
데 이러한 '차이'의 시간은 언제, 어떻게 시작되는 것일까? 이 물음에 대
한 한 가지 힌트가 인용시에 제시되어 있다. 스트리커(streaker)는 벌거
벗고 달리는 사람이다. 그의 급작스러운 등장으로 인해 "한 방향으로
흐르고 지루한 말씀"을 실어나르던 '공기'에 일순간 균열이 발생한다.
시인은 그것을 "잘 정돈된 잔디와 배열에 금이 간다"라고 표현했다. 스

트리커가 출현하자 곧이어 '제복'이 달려오고, "알몸을 둘러서고 알몸의 알몸을 가리는 모자"가 등장한다. 이 풍경을 바라보는 구경꾼들의 시선은 '둘'로 갈라지는데, 하나는 달리는 사람을 좇고, 다른 하나는 좇는 사람을 좇는다. 이 풍경을 "대기 속에 잠자던 표정"의 깨어남이라고 불러도 좋을 듯하다.

　그런데 여기에는 지루하게 흘러가는 일상적 시간의 균열이라는 사건의 우연성만 존재하는 것이 아니다. 여기에는 "달린다 달리면서 가린다", "가린다 가리면서 달린다"라는 표현처럼 '스트리커'라는 존재가 '노출'과 '은폐'를 동시에 수행하는 일종의 역설적 상황이 개입하고 있다. 그것은 '노출'과 '은폐' 가운데 어느 하나를 지향하지 않고 둘의 경계를 흩뜨림으로써 이질적인 요소들을 뒤섞는다. 그런데 이러한 역설이 만들어내는 상황의 이중성은 이해존의 시가 '방/집'의 바깥에 관해 이야기할 때마다 반복적으로 나타난다. '개그맨'이라는 희극적 요소와 '죽음'이라는 비극적 요소를 이어붙인 「개그맨의 죽음」이라는 제목이 그러하고, "의문을 품지 않은 질문"과 "질문을 품지 않은 의문"의 충돌을 통해 '관계'의 본질을 탐색하고 있는 「어둠을 이해하는 방식」의 상황이 그러하다. 또한 곡예사가 등장하여 "손이 걷고 발가락이 머리카락을 쓰다듬는"(「곡예사와 난쟁이와 아이」) 장면도 신체기관의 전도된 기능을 통해 일상적 시간에 균열을 가져온다. 이러한 상황의 이중성, 아니 어떤 것의 경계가 흐려지고 마침내 이것과 저것의 위치가 뒤바뀌는 역설과 아이러니야말로 현대세계에 대한 시인의 솔직한 경험이다.

　　　얼굴 속에서 무슨 일이 벌어지고 있나
　　　표정은 표정 속에서 엷어지고
　　　가면을 갖지 못한 두 눈이 붉어진다

가면을 가면으로 마주해야 하는 세상
눈동자가 어둠 속을 떠다닌다
숨기고 싶어 또 하나의 얼굴을 만들고
들킬까봐 하나뿐인 얼굴을 가린다
어깨 위로 떨어질 것 같은 커다란 얼굴
불안한 노래가 뜨거운 입김으로 공명한다

새장 속의 노래를 놓아주기 위해
절망에게 열쇠를 맡긴다

아일랜드 숲속처럼 외롭고 바같은
커다란 가면 같은 절벽이어서
우리는 숲을 두고 떠나지 않는다

낯선 가죽이 살갗으로 번지는 시간
세상과 마주한 야생이 달려들거나 도망친다
아일랜드 숲속에서
노래는 점점 야생의 울음을 닮아간다

무표정으로 가장한 얼굴 속에서
노래가 수많은 표정을 짓는다

———「바같의 표정」 전문

이해준의 시에서 현대는 본질적인 것과 표피적인 것, 진짜와 가짜 등이 전도된 사회이다. 따라서 "레몬을 늠름하게 베어 물고 카메라를 향할 때/자신에게서 가장 멀어집니다"(「일인자」)나 "가짜의 전성기가 영정 사진으로 걸리고 진짜 이름을 찾았다(…중략…)그보다 더 능숙하고 오래된 것을 쫓다가 내 목소리를 잃었다"(「이미테이션」) 등에 등장하는 '소외'의 문제의식은 한 개인의 불행보다는 현대성의 기호로 읽는 것이 타당하다. 인용시의 '가면' 역시 마찬가지이다. 이 시에서 가면은, 가면을 쓰고 등장하는 인물들이 익명으로 노래를 부르는 텔레비전 프로그램이 그렇듯이, 혹은 그런 인물이 등장하는 영화의 한 장면이 보여주듯이, 마스크(mask)이자 외적인격(persona)이다. 화자는 지금 그런 가면이 "어깨 위로 떨어질 것 같은 커다란 얼굴"을 염려하며 "불안한 노래"를 부르고 있다. 시인은 이 장면을 가리켜 인간은 "숨기고 싶어 또 하나의 얼굴을 만들고/들킬까봐 하나뿐인 얼굴을 가린다"라고 진술한다. 하지만 '얼굴'을 숨기기 위해 만든 '가면'이 "낯선 가죽이 살갖으로 번지는 시간"을 통과하면 상황이 달라지는 법이다. 특히 그 "불안한 노래"가 오로지 '가면'을 착용했을 때에만 가능한 것이라면, 하여 가면 아래의 '얼굴'이 드러나는 순간 '노래'의 재능이 모두 사라져버린다면, 이때의 '가면'은 '얼굴'만큼이나 중요한 것이라고 말할 수 있지 않을까. 시의 마지막에 등장하는 "무표정으로 가장한 얼굴 속에서/노래가 수많은 표정을 짓는다"라는 진술이 의미하는 것이 이것이다. 이제 "수많은 표정"을 노래하기 위해 '진짜 얼굴'에게 '가짜 얼굴'이 필요하다. '진짜'가 '가짜'를 경유해서만 스스로를 드러낼 수 있는 것, 이것은 시인이 생각하는 예술의 본질일까, 아니면 시인이 현대사회를 바라보는 관점일까.

일찍이 철학자들은 세계와 사물의 진짜 모습을 알기 위해서는 그림자에 현혹되지 않아야 한다고 충고했다. 그것은 진리의 밝은 빛 아래에서만 세계와 사물이 제 모습을 드러낸다는 철학적인 믿음에 기초한 것이었다. 하지만 어떤 세계는 빛이 아니라 어둠을 배경으로 할 때, 피사체와는 명암 관계가 반대인 음화(negative picture)의 방식으로 조명될 때 한층 분명하게 드러난다. 이 경우 '어둠'은 대상보다 더 중요할 뿐만 아니라 '대상'에 접근할 수 있는 유일한 방법이기도 하다. 이해존의 시는 이러한 낯선 시각을 통해, 개인의 비극적인 삶의 형상을 통해 현대성의 부정적인 단면을 드러내는 일종의 '그림자극(劇)'이다. 이 그림자를 통해 가시화되는 현대의 또 다른 모습은 '폭력'의 세계이다. 아래의 시에서 '폭력'의 잔혹성이 느껴진다면 그것은 "두려운 것은 빛을 등지고 나타난다."라는 진술처럼 폭력이 그림자-음화를 통해 모습을 드러내기 때문이고, 그 폭력의 희생자가 가시성의 대상으로 우리 앞에 존재하지 않고 부재를 통해 간접적인 방식으로 존재를 드러내기 때문일 것이다. 이 시는 '폭력'의 잔혹함이 언제나 피와 살이 튀는 그로테스크한 시각적 장면으로만 드러나는 것은 아님을 보여준다. 만일 이 시가 음화가 아니라 양화(positive picture)의 방식으로 학교 폭력을 형상화했다면 어떠했을까? 학교 폭력에 대한 진부한 고발이거나 '폭력=악'이라는 등식에 호소하는 계몽적인 목소리에 그쳤을 가능성이 크다. 시차사진술을 연상시키는 파편화된 이미지들의 재조합과 마찬가지로, 이해존에게 음화(陰畵)의 시선은 검은 실루엣이라는 장치를 통해 관객이 비극적이고 음울한 세계에 대해 새로운 감각을 가질 것을 요청한다. '그림자극'은 이 요청의 또 다른 이름이다.

허리에 손을 얹은 그림자가 검은 날개처럼 몸집을 부풀린다. 두려운 것은 빛을 등지고 나타난다.

주저앉아 물러서다 모서리에 손목이 긁힌다. 살갗을 파고드는 젖은 모래처럼 발가락이 바닥을 움켜쥔다. 원망과 두려움으로 뒤섞인 눈동자가 그림자를 올려다본다.

함께 그림자놀이 하던 벽에 또 다른 그림자劇이 벌어진 후, 아이들이 하나둘씩 사라졌다.

아이들이 창문으로 뛰어내려 빛과 함께 부서지기 전에, 창문 위에 빗장을 덧댄다. 방 안 가득 풀어놓던 그림자가 문을 잠근다. 방문을 여닫을 때마다 검은 바닥이 한 장씩 떼어진다.

뜯어진 창문으로 커튼이 펄럭인다. 방 안에 빛을 던져 넣고 한 아이가 부서졌다. 오늘밤 그림자놀이 하기에 충분한 빛이다.

—「그림자劇」 전문

시인의 말

이해할 수 없는 세상에
겨우 하나의 이해를 보탠다.

나도 당신일 수 있다는 이해.
너무 늦거나 무감각했던······

행간을 더듬으며 헤맸던 길에
또다시 발을 들여놓아도 좋을,

2017년 11월
이해존